PAPA
ET LE
DINOSAURE

À tous les papas affectueux :
Jacob, Herb, Peter, Mike, mon père Jimmy
et ton propre papa,

_____

— G.C.

Pour Jodi
— D.S.

Catalogage avant publication de Bibliothèque et Archives Canada
Choldenko, Gennifer, 1957-
[Dad and the dinosaur. Français]
Papa et le dinosaure / Gennifer Choldenko ; illustrations de Dan Santat ; texte français d'Isabelle Allard.
Traduction de: Dad and the dinosaur.
ISBN 978-1-4431-6800-7 (couverture souple)
I. Santat, Dan, illustrateur II. Titre. III. Titre: Dad and the dinosaur.
français.
PZ23.C4578Pa 2018   j813'.54   C2017-906654-4

Édition publiée par les Éditions Scholastic, 604, rue King Ouest, Toronto (Ontario) M5V 1E1

5 4 3 2 1   Imprimé en Malaisie 108   18 19 20 21 22

Conception graphique : Ryan Thomann
Le texte a été composé avec la police de caractères Drawzing.
Les illustrations ont été réalisées au crayon, à l'aquarelle, à l'encre, à l'acrylique et à l'aide de Photoshop.

PAPA
ET LE
DINOSAURE

GENNIFER CHOLDENKO

ILLUSTRATIONS DE
DAN SANTAT

TEXTE FRANÇAIS
D'ISABELLE ALLARD

SCHOLASTIC

Nicolas a peur du noir dehors,
des buissons où vivent des insectes géants,
et du dessous des plaques d'égout.

Son père, lui, n'a peur de rien.

Nicolas essaie d'être courageux comme son père, mais il a besoin d'un coup de main... d'un GROS coup de main. Il a besoin d'un dinosaure.

Les dinosaures aiment la noirceur et se fichent des insectes. Ils mangent les plaques d'égout pour dîner et ce qu'il y a dessous pour souper.

Quand Nicolas a son
dinosaure dans sa poche,
il est aussi courageux
que son père.

— Tu aurais dû voir ton fils sur le mur d'escalade, aujourd'hui, raconte sa mère à son père.

Il était intrépide!
Il doit tenir cela de toi.

Évidemment, il y a des jours où Nicolas n'a pas de poches.

Lorsqu'il joue au soccer, il cache son dinosaure dans sa chaussette.

Quand il nage,
il noue son dinosaure
au cordon de son maillot.

La nuit, son dinosaure repose sous son oreiller.

Ce jour-là, Nicolas joue au soccer contre un gardien surnommé Gorille. Pas de problème. Nicolas a son dinosaure et son dinosaure n'a peur de rien. Nicolas frappe le ballon si fort qu'il entre dans le but en volant au-dessus de la main de Gorille, pourtant grosse comme une mitaine de four.

Tout le monde l'acclame!

Sa mère a tout filmé.

— Tu es incroyable,
mon garçon, dit son père.

Le visage de Nicolas
rayonne de joie.

Mais au moment de partir,
le dinosaure a disparu.

Nicolas le cherche partout
sur le terrain, jusqu'à ce que
la nuit tombe.

— Que fais-tu, Nico?

— Rien, répond-il.

Sur le chemin du retour, la nuit est noire comme l'encre d'une pieuvre, des insectes géants rampent partout et leur petite voiture est presque engloutie par la chaussée.

Nicolas ne mange pas ce soir-là. Il se couche tôt, la lumière allumée et sans rien sous l'oreiller.

Il rêve d'insectes gros comme
des maisons et du monde
qui se cache sous les plaques
d'égout.

Plus tard, quand son père rentre à la maison,
il vient le voir dans sa chambre.

— As-tu fais un cauchemar, mon garçon?

Nicolas ne répond pas.

— Ce n'est pas grave d'avoir peur. Tous les garçons
ont peur de temps à autre.

— Qui a dit que j'avais peur? réplique Nicolas.

— Personne, répond son père. Mais je vois bien
qu'il y a un problème.

Après un long moment, Nicolas chuchote :

— J'ai perdu mon dinosaure. C'est lui qui est
courageux, pas moi.

— Dans ce
cas, allons le
chercher!
dit son père.

Sa mère les entend
enfiler leur veste.
— Où allez-vous
à cette heure-ci?

— C'est un truc
entre gars, répond son
père en ouvrant la porte.

Ils roulent jusqu'à l'autre bout de la ville où se trouve le terrain de soccer. Tout est plongé dans l'obscurité. Ensemble, ils cherchent sur le gazon humide.

Ils trouvent finalement
le dinosaure de Nicolas,
plus grand que jamais!

En rentrant à la maison,
ils donnent un bain au dinosaure
et le glissent sous l'oreiller.

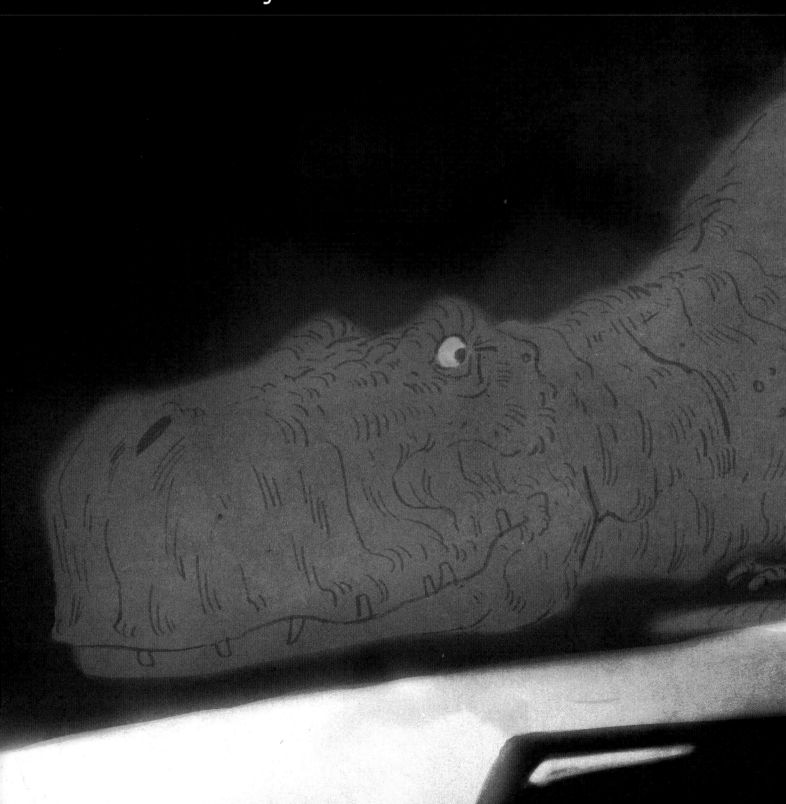

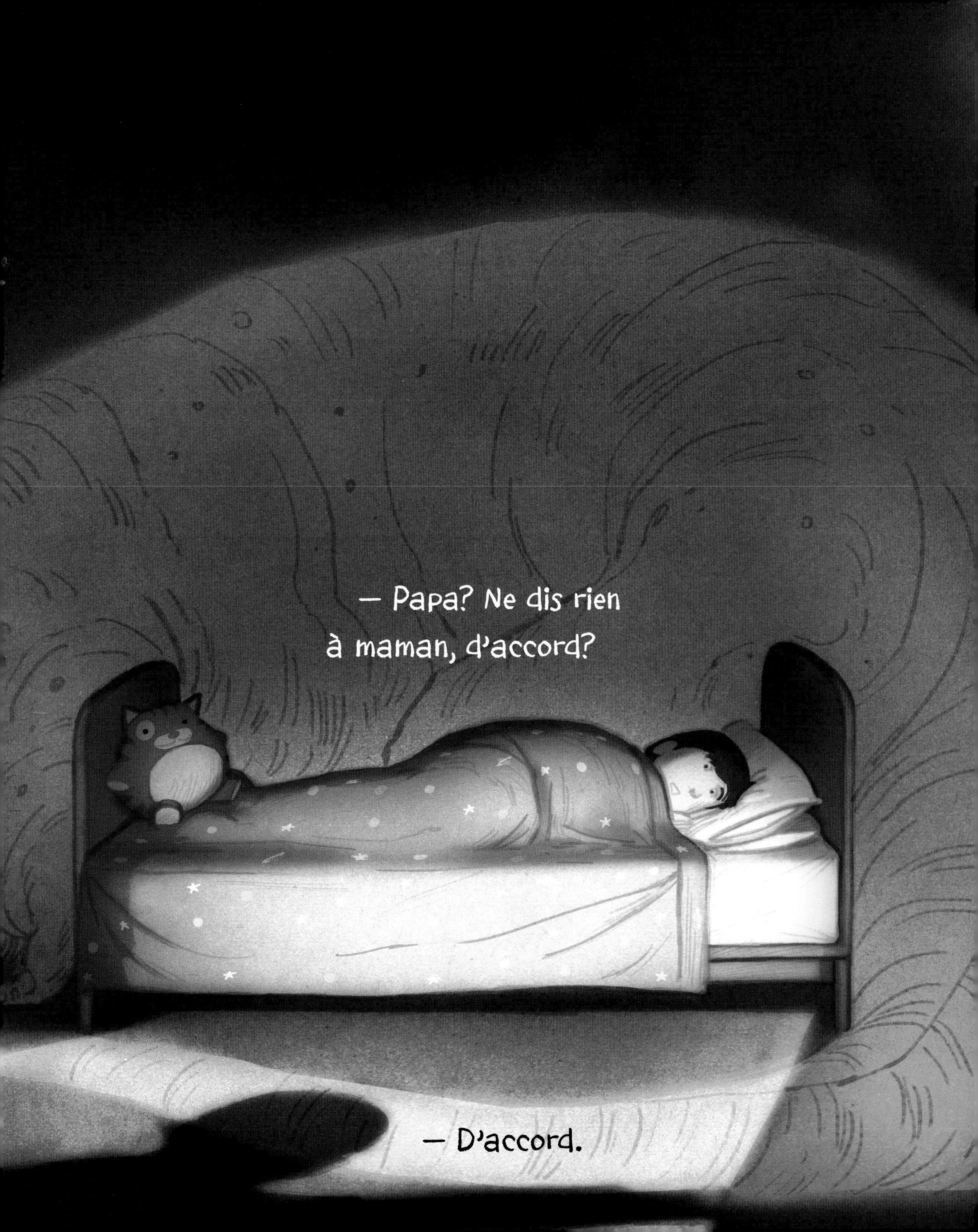

— Papa? Ne dis rien
à maman, d'accord?

— D'accord.

Le lendemain, Nicolas met
le dinosaure dans sa poche.

Maintenant,
il n'est plus
le seul à savoir
que le dinosaure
est là.

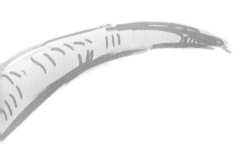

GENNIFER CHOLDENKO

est une auteure américaine spécialisée dans la littérature pour enfants. Elle a écrit *Putting the Monkeys to Bed* et *A Giant Crush*. Dans *Papa et le dinosaure*, elle souhaite rendre hommage à tous les papas formidables qu'elle connaît. Elle vit près de la baie de San Francisco.

DAN SANTAT

est illustrateur. Il a remporté la médaille Caldecott pour son livre *Les aventures de Beekle : l'ami inimaginaire*. Il est également l'illustrateur de *Grognonstein*; *Joyeuse Saint-Valentin, Grognonstein!*; et de la série *Ricky Ricotta*, de Dav Pilkey. Il vit dans le sud de la Californie avec sa famille.